Mon cœur ravi

Rose Lagercrantz

# Mon cœur ravi

*Illustrations d'Eva Eriksson*
*Traduit du suédois par Nils Ahl*

Mouche
*l'école des loisirs*
11, rue de Sèvres, Paris 6e

Des mêmes auteurs à *l'école des loisirs*

Collection MOUCHE

*Ma vie heureuse*

© 2014, l'école des loisirs, Paris pour l'édition en langue française
© 2012, Rose Lagercrantz (texte)
© 2012, Eva Eriksson (illustrations)
Titre de l'édition originale : « Mitt hjärta hoppar och skrattar »
(Bonnier Carlsen, Suède)
Publié en français avec l'accord de Bonnier Group Agency
Loi n° 49.956 du 16 juillet 1949 sur les publications
destinées à la jeunesse : mai 2014
Dépôt légal : mai 2014
Imprimé en France par I.M.E. à Baume les Dames

ISBN 978-2-211-21684-5

# *Chapitre 1*

C'est encore Dunne – qui est si heureuse !
Il lui arrive d'être malheureuse aussi, mais
rarement.

Elle est contre le malheur. Et quand
elle lit une histoire triste, elle change la fin.

Dunne s'intéresse aux cochons d'Inde, au découpage, au coloriage. Et elle aime jouer avec ses amis.

Quand elle a des amis.

Au début, elle ne connaissait personne à l'école. Mais maintenant, si.

Elle connaît Metterborg et Kudden.

Et Jonatan qui a 146 animaux de compagnie – des phasmes. Il prétend qu'ils aiment beaucoup les câlins.

Elle connaît Vickan, bien sûr. Tout le monde connaît Vickan.

Vickan se brosse les dents toutes les cinq minutes, ou à peu près. Sa maman est dentiste, elle lui fait faire tous les jours des bains de bouche au fluor.

Vickan est tombée amoureuse de presque tous les garçons de la classe. Bof, se contentent-ils de dire. Et elle passe à autre chose.

Mickan aussi est tombée amoureuse de presque tous les garçons de la classe.

Ce jour-là, Vickan et Mickan sont
amoureuses de Kudden.

Toutes les deux réfléchissent : quelles sont leurs chances avec Kudden ? Elles sont très excitées en se demandant laquelle il va choisir.

— Moi, probablement, dit Mickan en regardant avec satisfaction un grand cœur en papier qu'elle vient de découper.

— N'en sois pas si sûre, répond Vickan en dessinant un grand cœur à son tour.

Vickan et Mickan passent tout leur temps à se copier.

## Chapitre 2

À la récréation, elles se jettent sur Kudden.

— C'est sûr, j'ai toutes mes chances avec toi, crie Vickan.

— Non, c'est moi, hurle Mickan.

Kudden se dégage sans répondre. Il n'a pas de temps pour ces bêtises. Il doit s'entraîner à marquer des buts.

Au bout d'un moment, il revient.
Mais pas pour parler avec elles.
Il s'approche et aborde…

… Dunne. Il sort un chewing-gum
de sa poche et le lui donne.

Puis il repart, il doit s'entraîner à marquer des buts, encore.

Car si son équipe de football ne remporte pas tous les matchs, il se fait gronder par son papa. Son papa crie aussi sur l'entraîneur.

Dunne respire le parfum du chewing-gum. Framboise.

Quand Dunne relève la tête, Vickan
et Mickan ont disparu. Elles jouent à la
marelle.

Dunne court vers elles et demande à
Vickan si elle peut jouer aussi, mais celle-
ci ne lui répond pas. Elle fait semblant de
ne pas la voir.

Mickan, elle, la traite comme si elle
était une banane pourrie.

Dunne est triste, parce que le plus
important à l'école, c'est que tout le
monde soit gentil avec elle.

– Tu peux avoir mon chewing-gum,
si tu veux, dit-elle.

– Non merci, grogne Mickan. Les
chewing-gums sont interdits à l'école.

 — Tu ne le sais pas ? siffle Vickan en s'éloignant à toute vitesse.

 Dunne reste stupéfaite. Puis elle va vers une poubelle et jette son chewing-gum.

## Chapitre 3

À la fin de la récréation, Dunne n'est plus heureuse. Elle regrette sa meilleure amie, Ella Frida, qui a déménagé à Norrköping. Depuis, personne ne s'assoit plus à la place d'Ella Frida. Ni Jonatan, ni Sussie, ni personne…

Quand Kudden revient en classe, il s'approche. Dunne secoue la tête.

— Où crois-tu qu'Ella Frida va s'asseoir ? demande-t-elle.

Kudden la regarde avec surprise.

— Je veux dire : quand elle sera revenue, précise Dunne.

— Petite Dunne, soupire la maîtresse qui a entendu la conversation. Ella Frida ne reviendra pas.

— On ne sait jamais, murmure Dunne.

On ne renonce pas juste parce que ça semble sans espoir.

Sinon, Dunne prend la vie comme elle vient.

Le lundi, c'est gymnastique.

Le mercredi, c'est le mot de la semaine.

Ce qui est bien avec le mot de la semaine, c'est qu'on reçoit un bon point si on a tout bon.

Et chaque jour, à onze heures moins le quart, c'est l'heure du déjeuner.

# Chapitre 4

À la cantine, Dunne et Ella Frida s'as-
seyaient côte à côte, chaque jour, tout
là-bas, dans le coin.

Ce jour-là, Dunne ne s'intéresse pas
à sa nourriture : saucisses et pommes de
terre écrasées. Elle préfère penser à des
choses heureuses. C'est ce qu'elle sait
faire de mieux.

D'abord, elle pense à tous les cochons
d'Inde qu'elle connaît. Il y en a un qui
s'appelle Partyboy, et un autre, Littleboy.
Et il y a aussi ses cochons d'Inde à elle,
Neige et Flocon.

Plus tard, elle pense à tous les endroits qu'elle a visités.

Rome – où habite sa grand-mère paternelle.

Robsten – où habitent ses grands-parents maternels.

Norrköping – où Ella Frida habite désormais.

C'est probablement l'endroit le plus amusant que Dunne ait jamais visité.

Il y avait un parc avec beaucoup d'arbres d'espèces différentes. On pouvait grimper facilement sur certains, et un peu plus difficilement sur d'autres. Quand Dunne était là-bas, en visite chez son amie, elle avait décidé de s'attaquer au plus difficile. C'était un arbre qui n'avait quasiment pas de branches en bas du tronc.

Il était si haut qu'elles avaient dû s'aider d'une chaise pour monter.

Dans la futaie, elles se sont amusées pendant des heures à jouer aux singes.

C'était pendant les vacances de Pâques.

Il y avait si longtemps…

Elles ont parlé la langue des singes, faite surtout de cris de toute sorte, et de claques sur les cuisses.

Bien entendu, elles ont mangé des bananes et se sont entraînées à rester suspendues par la queue…

Elles n'ont pas de queue mais des bras
et des jambes.

Puis, après un moment, elles sont descendues de l'arbre pour rentrer à la maison. Et demander d'autres bananes.

À leur retour, la chaise n'était plus là.

Il fallait en trouver une autre.

Comment seraient-elles remontées dans leur nid, sinon ?

Jusqu'au soir, elles n'ont pas cessé de jouer dans l'arbre aux singes.

Dans leur nid, elles sautaient en chantant. Des chants de singes, bien sûr.

Et la lune brillait, l'arbre soupirait, un chien aboyait à proximité. Et tout était si agréable, comme toujours à Norrköping.

Mais le jour suivant, la seconde chaise avait disparu également.

Un vrai mystère.

La maman d'Ella Frida les avait grondées et leur avait interdit d'emprunter d'autres chaises. Et le beau-père d'Ella Frida était d'accord.

Ella Frida a deux papas. Un vrai, avec qui elle ne parle jamais, et puis un autre, qui s'appelle Ulf.

Ella Frida s'entête à l'appeler Uffe.

Uffe a dit que la place des chaises de cuisine, c'est la cuisine, pas le parc.

Alors, elles avaient cessé de jouer aux singes et elles étaient allées s'amuser avec les cochons d'Inde.

C'était si agréable, là-bas.

## Chapitre 5

Dunne est encore à la cantine de l'école,
et pense toujours à Norrköping, quand
la maîtresse s'approche d'elle.

— Pourquoi tu ne manges rien ?
demande-t-elle.

Surprise, Dunne regarde son assiette. Elle a oublié où elle se trouvait.

— Maintenant, lève-toi et va t'installer avec les autres !

Dunne se redresse. La maîtresse prend la chaise et s'éloigne. Dunne suit en traînant les pieds. Où est-ce que la maîtresse va l'asseoir ?

Oh non ! Pas entre Vickan et Mickan !

— Ça ne marchera jamais, murmure Dunne pour elle-même.

Elle a raison. Vickan et Mickan protestent bruyamment quand la maîtresse glisse la chaise de Dunne entre elles.

— Nooooon, grogne Vickan, je ne me sens pas bien !

— Nous sommes censées nous asseoir l'une à côté de l'autre pour le reste de notre vie, proteste Mickan.

Mais elles ne bougent pas.
Et ne tentent rien d'autre.

Dunne s'installe, prend la bouteille de ketchup et s'en sert un petit peu.

À peine repose-t-elle la bouteille que Vickan s'en empare.

— Regarde, dit-elle, j'ose à peine tenir la bouteille de ketchup dont Dunne s'est servie.

Comme si Dunne était contagieuse !

— Moi aussi, dit Mickan en la prenant à son tour.

— Pouah !

Et Dunne essaie de faire comme si de rien n'était.

## Chapitre 6

Puis, ça dégénère. Vickan pince le bras de Dunne.

Dunne essaie de faire comme si de rien n'était.

Le papa de Dunne a l'habitude de dire que c'est ce qu'il faut faire quand quelqu'un est trop bête.

Mais elle sent bientôt que Mickan la pince, elle aussi. Et encore plus fort !

Cela fait vraiment mal.

Elles pincent et pincent jusqu'à ce que Dunne ravale un cri en sursautant sur sa chaise.

Elle regarde rapidement autour d'elle, reprend la bouteille de ketchup, vise Mickan et appuie le plus fort possible.

« Splatch », fait le ketchup en jaillissant…

... et en allant s'écraser pile sur le front de Mickan.

Dunne se retourne et vise Vickan.

« Splatch ! Splatch ! »

Cette fois, cependant, elle manque sa cible et asperge la maîtresse de ketchup.

Dunne retient son souffle…

… puis lâche la bouteille.

Elle se précipite vers la porte.

Là, elle se retourne.

Qu'est-ce qui lui a pris ?

— Stop ! crie la maîtresse. Reste ici, Dunne !

Mais Dunne fait semblant de ne pas entendre et reprend sa course. Elle se précipite hors de la cantine, quitte l'école et court jusqu'à la maison.

## Chapitre 7

La maison de Dunne est rue du Houblon, juste à côté de la piste de luge.

L'hiver, beaucoup d'enfants jouent dans la neige.

Mais c'est le printemps. La colline est verte, parsemée de petites fleurs bleu pâle. On les appelle des scilles de Sibérie.

Mais aujourd'hui, Dunne n'en a rien à faire.

Elle ne regarde pas les fleurs : elle veut seulement rentrer le plus vite possible.

La porte de la maison est fermée. Comme toujours quand son papa est au travail.

Heureusement, il y a une clé de secours cachée sous le pot de fleurs près des marches du perron.

Dunne la prend pour ouvrir la maison, rentre et jette ses chaussures le plus loin possible.

L'une atterrit sur l'étagère à chapeaux.

L'autre vole jusqu'à la petite table sur laquelle on a posé un vase.

Le vase tombe par terre et se brise.

Dunne se sent comme le vase. Cette fois, elle est vraiment en mille morceaux.

Dans sa chambre, elle s'assoit par terre
et commence à pleurer.

D'abord pour le vase. Puis parce
qu'elle a aspergé sa maîtresse préférée de
ketchup. Et aussi parce que Mickan et
Vickan ont été si bêtes.

Mais surtout, elle pleure parce que
Ella Frida n'est pas encore revenue.

Elle pleure tellement que
ses yeux deviennent rouges
comme ceux d'un lapin
de garenne.

Les cochons d'Inde la regardent avec inquiétude.

D'habitude, quand Dunne rentre à la maison, ils poussent des petits cris de joie et se mettent à courir en rond. Mais cette fois ils restent immobiles, les pattes jointes. Ils la regardent.

Les cochons d'Inde sont des animaux sensibles. S'ils sentent que leur maman est malheureuse, ils le sont aussi. Et Dunne est comme une maman pour eux.

Ils l'aiment et la soutiennent quoi qu'il arrive.

Flocon pense que c'est très bien que Dunne ait jeté du ketchup : on a le droit de se défendre, quand même !

Neige pense que c'est amusant, comme toujours quand il se passe quelque chose d'inhabituel.

Soudain, un bruit dans l'entrée.

Rapidement Dunne se relève et colle son oreille contre la porte.

Ah oui, c'est vrai !
Le mercredi, son papa finit plus tôt.

## Chapitre 8

Dunne entend grincer la porte de l'armoire à vêtements.

Papa prend ses vêtements de sport.

Tous les mercredis, il a l'habitude de courir dans le bois.

Mais soudain, il y a un grand silence.

Puis des pas…

Rapidement, Dunne tourne la clé dans la serrure. Moins une.

Son papa tourne la poignée de la porte.

– Dunne, dit-il, que se passe-t-il ?
Pourquoi tu n'es pas à l'école ?

Dunne n'ouvre pas la bouche.

— Est-ce que tu es triste à cause de quelque chose ? continue son papa.

Toujours le silence.

— Ce n'est pas pour le vase ? C'est dommage qu'il soit cassé mais c'est comme ça. Qu'est-ce qui est le plus important, à ton avis ? Ma petite fille ou un vieux vase ? Ouvre maintenant, sois gentille !

Dunne n'obéit pas à son papa.

Cela ne lui arrive jamais. Mais elle ne veut jamais lui dire ce qui s'est passé à l'école.

Le téléphone sonne et son papa va répondre. Il revient presque aussitôt.

— Maintenant, tu sors de ta chambre ! ordonne-t-il, très en colère. Il faut que nous allions à l'école pour que tu t'excuses auprès de tous ceux que tu as aspergés de ketchup !

Dunne pousse un cri et se roule par terre.

— Je meurs, explique-t-elle aux cochons d'Inde, et c'est de sa faute !

Les cochons d'Inde approuvent en grinçant des dents, comme ils le font toujours quand ils sont bouleversés.

Puis, au bout d'un moment, son papa s'éloigne.

## Chapitre 9

Il faut du temps avant que Dunne puisse penser à autre chose. À quelque chose d'amusant. C'est toujours comme cela quand elle est triste. Les pensées volent en rond dans sa tête, comme des oiseaux inquiets, sans savoir où se poser. Puis elle pense à Norrköping. Et elle se sent un peu mieux. Quand il le faut, on peut toujours penser à Norrköping. La seule chose triste qui peut arriver à Norrköping, c'est de devoir rentrer à la maison, à Stockholm.

Cela a été le cas pour Dunne, à Pâques, quand elle était allée rendre visite à Ella Frida.

Le papa de Dunne est venu chercher Dunne en voiture, au moment où elles s'amusaient le plus.

Elles venaient à peine de finir leurs opérations chirurgicales sur les poupées et les peluches d'Ella Frida. Elles les installaient dans leurs lits quand le papa de Dunne est arrivé.

Maintenant, il fallait dire au revoir et rentrer rue du Houblon.

— Vous boirez bien un café avant de reprendre la route ? proposa la mère d'Ella Frida.

— Avec plaisir, merci, dit le papa de Dunne en la suivant dans la cuisine.

C'est alors qu'Ella Frida avait eu une idée.

— On s'enfuit ! chuchota-t-elle.

Aussitôt dit, aussitôt fait. Ella Frida rassembla le plus utile quand on est en cavale : une couverture, un saucisson, deux coussins, deux brosses à dents, une lampe de poche, d'autres choses encore, et des bonbons.

Dunne courut attraper un livre, une boîte de sparadraps, des ciseaux, deux pommes et deux animaux en peluche qui avaient déjà récupéré de leur opération.

Elles jetèrent tout ça dans une housse de couette et firent un nœud. On aurait dit un grand baluchon.

— Et n'oublions pas de prendre une chaise, aussi, rappela Ella Frida.

Leur plan était de se réfugier dans l'arbre aux singes.

Là-bas, elles se feraient si discrètes que personne ne les trouverait.

En silence, elles se faufilèrent dehors.

En silence, comme des voleurs dans la nuit.

Personne ne remarqua rien.

À peine avaient-elles grimpé jusqu'à leur nid qu'elles se rendirent compte qu'elles avaient oublié le plus important : un parapluie !

De grosses gouttes tombèrent sans attendre. Dunne et Ella Frida étaient trempées. Et les pauvres peluches aussi.

Finalement, elles rentrèrent en courant à la maison, n'emportant que les peluches pour que ces pauvres diables ne retombent pas malades.

C'est ainsi que se termina leur cavale.

La pluie fouettait leurs visages. Elle fouettait l'herbe, elle fouettait l'arbre aux singes, et tout Norrköping.

Elles laissèrent la housse trempée derrière elles. Toutes leurs affaires étaient cachées entre deux branches.

Et comme d'habitude, elles oublièrent la chaise derrière elles.

Cette fois, la maman d'Ella Frida ne leur dit pas un mot à propos de la chaise. Elle les gronda seulement d'être sorties sous la pluie.

Le papa de Dunne dit qu'ils devaient dire au revoir, maintenant.

Et ils allèrent à la voiture et bouclèrent leurs ceintures de sécurité.

Jamais Dunne ne devait oublier ce moment-là. Assise sur la banquette arrière, elle regardait les gouttes de pluie sur la vitre qui faisaient la course avec les larmes sur ses joues.

À la dernière minute, Ella Frida arriva en courant, trempée comme une sirène.

– Attends ! cria-t-elle. J'ai oublié de te donner ton cadeau de départ !

Son cadeau était un livre de poésie, un album que l'on passe à ses amis pour qu'ils y écrivent de jolis poèmes.

Pour l'instant, toutes les pages étaient blanches à l'exception de la première.

De sa plus belle écriture, Ella Frida avait écrit :

Tu es la rose,
Je suis l'épine.
N'oublie pas l'amie qui écrit au coin de la page.

N'oublie JAMAIS
Ta meilleure amie au monde
Ella Frida.

## Chapitre 10

À chaque fois que Dunne lit ce poème, elle est heureuse.

Surtout la fin :

N'oublie JAMAIS

Ta meilleure amie au monde

Ella Frida.

Comme si elle allait l'oublier !

Bien sûr, il arrivait que Dunne oublie de petites choses, comme une veste ou un bonnet au moment de rentrer à la maison. Cela arrivait assez souvent.

Sans parler de son sac à dos.

Ou de son sac de gym.

Ou de son livre de lecture. Ou de son pique-nique quand il y avait une sortie.

Oui, parfois Dunne était un peu oublieuse. Elle avait d'ailleurs oublié pourquoi elle était tellement en colère contre son père.

Qu'était-il en train de faire, d'ailleurs ? Pourquoi ne revenait-il pas frapper à la porte ?

Dunne ouvre la porte et passe son nez dehors.

Oh, que ça sent bon...

Elle suit l'odeur jusqu'à la cuisine. Son papa l'attend. Il lui montre sa chaise.

— *Amore*, dit-il, puis-je te proposer deux, trois… quatre crêpes maison ?

— Bien entendu, répond Dunne.

Et elle mange des crêpes jusqu'à exploser. Puis elle ferme les yeux : il faut qu'elle se repose à présent.

Mais son papa a d'autres projets.

— Viens, maintenant, dit-il. Elles nous attendent.

— Qui donc ? demande Dunne.

— La maîtresse et les filles.

Dunne n'en croit pas ses oreilles : il recommence !

— Dunne, dit son papa fermement, tu comprends que tu ne peux pas asperger les gens de ketchup sans t'excuser ensuite ! On ne fait pas cela dans la famille.

Il peut parler autant qu'il veut : Dunne n'ira pas !

Mais son papa n'abandonne pas aussi facilement.

– Peux-tu me dire une chose, demande-t-il en la regardant dans les yeux. Pourquoi as-tu fait ça ? Je sais qu'il y a une raison…

Dunne relève ses manches.

Son papa se fige.

– Qu'est-ce que c'est que ça ?

– Des pinçons, murmure-t-elle.

– Des pinçons ? s'écrie Papa. Vous vous pincez dans ta classe ?

Dunne hoche la tête.

– Juste Vickan et Mickan…

Elle n'en dit pas plus : son papa se lève et se précipite dans l'entrée. Sans un mot, il met sa veste et ouvre la porte.

Où va-t-il ?

Dunne le suit. Il vaut mieux aller avec lui, de toute façon. Mais où sont ses chaussures ?

Elle en trouve une sur l'étagère à chapeaux. La seconde est sur la petite table où il y avait le vase.

– Attends-moi ! crie-t-elle en courant après lui.

## Chapitre 11

Dunne ne rejoint son papa qu'à l'école. Il est dans une colère noire !

Il ouvre brutalement la porte de la classe et entre. À l'intérieur, tout le monde s'arrête. Comme quand on joue à 1, 2, 3 soleil. Mickan, qui s'est levée pour demander à la maîtresse de l'aider à résoudre un problème de calcul, s'immobilise. Vickan, elle, se plonge dans son manuel de mathématiques.

— Qui peut me dire pourquoi nous sommes ici ? tonne le papa de Dunne en regardant autour de lui.

Personne ne répond.

Finalement, Kudden lève la main :

— Dunne vient s'excuser ?

— Faux ! rugit le papa de Dunne. Dunne ne s'excusera pas ! Mais il y en a d'autres ici qui ont des excuses à présenter !

Il regarde vers Mickan qui fait semblant de ne pas comprendre. Il cherche du regard Vickan. Elle se concentre sur ses mathématiques. Puis il tire Dunne qui se cache derrière son dos et remonte ses manches.

— Est-ce que quelqu'un peut me dire ce qui s'est passé ?

Tout le monde regarde les bras de Dunne.

— Regardez ! dit-il en montrant les marques du doigt. Regardez les bleus, ici et ici, et ici, et ici…

Toute la classe s'agite. Tout le monde veut voir les bleus de Dunne, sauf Mickan qui en profite pour retourner s'asseoir. Et Vickan, qui tourne les pages de son livre de mathématiques.

La maîtresse s'approche de Dunne.

Elle considère plus longtemps que n'importe qui les bleus sur ses bras.

— Oui, oui, maintenant je commence à comprendre, murmure-t-elle.

Et l'on devine à sa voix qu'elle est aussi furieuse que le père de Dunne.

Elle secoue la tête et se dirige vers Vickan et Mickan.

— Qu'est-ce que ça veut dire, Mikaela ?

— On… ne faisait que jouer ! pépie Mickan.

— Jouer ? gronde la maîtresse. Est-ce que Dunne jouait aussi ?

Mickan ne répond pas tout de suite.

— Non, mais Vickan a pincé, elle aussi, chuchote-t-elle.

La maîtresse se tourne vers Vickan.

— Est-ce que c'est vrai, Victoria ?

— Je ne savais pas que ça laisserait des marques, murmure Vickan.

La maîtresse se redresse et ses yeux glissent vers le reste de la classe.

– C'est vraiment triste ! soupire-t-elle.
Est-ce que quelqu'un d'autre a subi
quelque chose du même genre ?

Silence.

– Moi, dit Jonatan au bout d'un
moment, Vickan et Mickan me jettent
tout le temps de l'eau dessus.

Sussie agite la main frénétiquement.

— Il m'est aussi arrivé quelque chose de triste !

Elle déglutit.

— Alors, demande la maîtresse.

— Mon hamster est mort !

— En tout cas, ce n'est pas la faute de Mickan et Vickan, objecte Kudden.

— Non, mais c'est triste !


Il en est ainsi, ce jour-là, dans la classe de Dunne.

Peut-être cela arrive-t-il souvent dans d'autres classes, mais on n'en entend pas beaucoup parler.

Puis il se passe quelque chose d'inattendu.

La porte s'ouvre encore.

Et qui est sur le pas de la porte… ?

*Chapitre 12*

… Ella Frida !

Un sourire illumine son visage.
Un murmure parcourt les bancs.
— Qu'est-ce qu'elle fait là ? crie Benni.

Mais Ella Frida n'entend rien.
Ses yeux fouillent la classe.

Quand elle voit que la chaise de Dunne est vide, son sourire s'évanouit.

— Où est Dunne ? demande-t-elle.

Dunne est médusée. On aurait dit son rêve, très exactement.

Finalement, elle se réveille et se précipite vers Ella Frida.

Ella Frida pousse un cri de joie.

— Tu es là !

Puis c'est au tour du beau-père d'Ella Frida d'apparaître.

— Je suis désolé de vous déranger, dit-il. Mais j'ai un important rendez-vous…

La maîtresse le regarde.

— Voilà, raconte-t-il. Ce matin, en quittant Norrköping, je pensais être seul dans la voiture. Mais, arrivé à Södertälje, j'ai entendu quelqu'un éternuer.

— Ah oui ? dit la maîtresse.

— C'était Ella Frida, cachée sous une couverture, sur la banquette arrière ! continue Uffe. Elle s'était glissée dans la voiture sans que personne ne la remarque. Elle m'a dit qu'elle devait voir Dunne…

— Très bien, coupe le papa de Dunne. Laissez donc Ella Frida ici, nous en prendrons soin.

L'instant d'après, la sonnerie retentit. C'est l'heure du goûter.

Tout le monde se presse pour sortir : il y a toujours de longues queues quand on sert le goûter. Surtout quand il y a des petits pains ou des bretzels, de la salade de fruits ou des hot dogs. Ou des gaufres. Mais il n'y en a presque jamais.

En général, il y a seulement des biscuits et des pommes.

C'est bon aussi.


Vickan et Mickan essaient de sortir avec les autres, mais la maîtresse les arrête :

– Vous deux, vous restez ici ! dit-elle.

## Chapitre 13

À la cantine, Ella Frida et Dunne prennent chacune une pomme et vont s'asseoir à la table la plus éloignée, dans le coin là-bas. Comme au bon vieux temps.

Mais elles ne sont pas seules.

Tout le monde veut voir Ella Frida et lui raconter ce qui s'est passé depuis la dernière fois. Metteborg veut qu'elle sache qu'il a reçu un énorme bloc de glace en pleine tête. Mais Irma prétend qu'il ne s'agissait que d'une boule de neige. Sussie, elle, veut parler de son hamster mort. Il s'appelait Lurvan.

Jonatan veut montrer son appareil dentaire à Ella Frida.

Puis Kudden et Benni proposent à tout le monde de sortir dans la cour pour jouer à cache-cache.

Ce qu'ils font aussitôt. C'est drôle de jouer quand on est si nombreux !

Tout le monde joue, sauf Vickan et Mickan.

Elles doivent rester dans la classe pendant la pause, et parler avec la maîtresse et le papa de Dunne.

L'école de Dunne a une grande cour de récréation.

Il y a deux murs d'escalade, six balançoires, deux marelles et un grand terrain de football.

Mais le mieux, c'est l'arbre à cache-cache. Kudden s'appuie justement contre son tronc et compte jusqu'à cent – pendant que les autres courent se cacher.

Dunne et Ella Frida partent vers la remise à outils, mais elle est déjà prise. Metteborg et Benni y sont cachés.

Dunne et Ella Frida se dirigent
ensuite vers la grande boîte bleue pleine
de sable.

Mais il y a déjà Jonatan, et c'est trop
petit.

Elles vont voir sous les esca-
liers, mais il y a beaucoup
de monde : Sussie, Victor,
Irma, Gabriel et Jens.

— Allons nous cacher der-
rière l'arbre, propose finalement Ella Frida. Là, Kudden
n'ira jamais nous chercher !

Mais à peine Kudden finit-il
de compter que la cloche sonne.
C'est toujours pareil !

## Chapitre 14

À la porte de la classe, Vickan et Mickan attendent.

Maintenant, c'est elles qui ont les yeux rouges comme ceux des lapins de garenne. Elles ont certainement pleuré.

Car la maîtresse leur a dit qu'elle va parler à leurs parents. Mais cela, la classe ne le sait pas encore.

Maintenant, elles doivent dire à Dunne qu'elles sont désolées. Mais elles ne veulent pas.

– Combien de temps allons-nous attendre ? demande la maîtresse.

Vickan et Mickan regardent droit devant elles sans répondre.

Rien ne se passe.

Tout le monde est curieux de savoir comment tout cela va se terminer. Mais certains ont déjà les jambes qui fatiguent, à force de rester debout à attendre.

– Alors ? demande l'institutrice.

Pourquoi ne réagissent-elles pas ? Vickan et Mickan restent plantées là, silencieuses, comme des statues.

Finalement Dunne dit qu'elles n'ont pas besoin de s'excuser.

– Je vous pardonne de toute façon, dit-elle.

Tout le monde respire. Le drame est terminé. Les élèves rentrent dans la classe.

Et le papa de Dunne peut finalement aller faire son jogging.

Ella Frida va s'asseoir à son ancienne place.

Heureusement, il n'y a personne !

— Dunne, demande-t-elle, pourquoi Vickan et Mickan doivent-elles s'excuser ?

— Parce qu'il a fallu que je leur jette du ketchup, dit Dunne.

— Ah, je comprends, dit Ella Frida.

Même si elle ne comprend rien.

Ça n'a pas d'importance : ce qui compte, c'est que son ancienne place ne soit pas occupée.

— Pendant la prochaine heure, nous allons dessiner des poissons, explique la maîtresse quand la classe retrouve son calme.

C'est en fait la semaine des poissons et des fruits de mer.

Dunne et Ella Frida dessinent deux brochets, l'un en face de l'autre, avec des dents aiguisées comme des rasoirs.

Plus tard, la maîtresse leur demande d'écrire dans leurs cahiers du jour.

**Ma vie heureuse.**

C'est ainsi que s'appelle celui de Dunne.

Mais il y a une éternité qu'elle n'a pas écrit dedans. Certains jours, on n'en a pas envie.

Dunne fait tourner son crayon en souriant à Ella Frida, qui a une feuille volante.

— Vas-y, dit la maîtresse.

— Je ne sais pas quoi écrire, se plaint Dunne.

— Raconte-moi un moment où tu étais heureuse, suggère la maîtresse.

— Je suis toujours heureuse, explique Dunne.

Et c'est vrai. Car les moments malheureux ne comptent pas pour elle.

— Raconte-moi un moment où tu as été très heureuse, alors ! dit la maîtresse.

Dunne se penche sur son livre.

Je suis toujours très heureuse quand je suis avec Ella Frida, commence-t-elle.

Ella Frida se penche pour lire, puis écrit à peu près la même chose :

Je suis toujours très heureuse quand je suis avec Dunne...

Mais Ella Frida n'a pas copié. Ella Frida ne copie jamais.

Même si elles écrivent souvent les mêmes choses.

Tout était presque comme avant, quand elles étaient tous les jours l'une à côté de l'autre.

Dunne n'a jamais vraiment pensé à quel point elle était heureuse. Pas une seconde. Elle n'a pas le temps pour cela.

Elle n'a pas le temps non plus, maintenant. En fait, elle se dit : il n'y a probablement pas beaucoup de gens dans le monde qui s'aiment autant que moi et Ella Frida !

Puis elle réfléchit à ce qu'elles vont faire après l'école.

Elle n'a pas été aussi heureuse depuis très longtemps.

Elle se penche sur son cahier du jour et continue à écrire.

**Mon cœur ravi...** est-il écrit quand elle se relève.